Usborne

Aventuras al aire libre

Usborne
Aventuras al aire libre

Texto: Alice James y Emily Bone

Ilustraciones: Briony May Smith

Diseño: Helen Edmonds y Anna Gould

Asesora experta: Laura McConnell

Traducción: Antonio Navarro Gosálvez

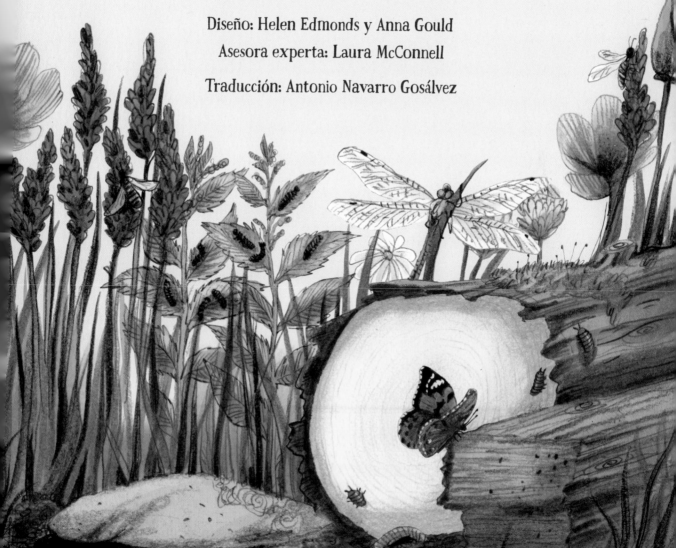

Sumario

Links de Usborne:

Si quieres acceder a sitios web con más información sobre la naturaleza y actividades al aire libre, visita www.usborne.es/quicklinks/es, selecciona este libro y haz clic para enlazar.

Sigue los consejos de la guía práctica sobre seguridad en Internet del sitio web Quicklinks de Usborne. Recomendamos que los niños sean supervisados por un adulto mientras navegan por Internet.

Conoce tu entorno

Estés donde estés y haga el tiempo que haga, la naturaleza siempre te ofrece cosas que ver, hacer y explorar. Puede ser delante de tu casa, en un parque, junto al mar o en el bosque. Eso sí, siempre tendrá que acompañarte una persona adulta.

Cómo usar este libro

Este libro se divide en apartados que hablan de distintos lugares y cosas que explorar. Estas páginas se han sacado del apartado "De acampada".

Si hace falta algún tipo de material para una actividad, aparecerá en la casilla "Qué necesitas".

Busca el símbolo ❗ para enterarte de avisos importantes de seguridad o medio ambiente.

Salir de excursión es fácil y divertido, y no hace falta ningún material específico. Sin embargo, si tienes pensado pasar fuera todo el día o vas a alejarte de tu casa, hay que ir siempre bien preparado. No olvides algunas cosas fundamentales:

Una gorra, si hace sol

Agua

Un mapa

Una manta o lona para sentarse o cubrir un vivac

Algo de comer

❗ Con cuidado

La seguridad es lo primero.
Lee los consejos de las páginas
8 y 9 sobre cómo evitar riesgos
y proteger el medio ambiente
mientras disfrutas de la naturaleza.

No vayas nunca a ningún sitio
sin que te acompañe un adulto.

Llévate una libreta
y un lápiz para dibujar
o tomar notas sobre
plantas, animales y cosas
curiosas que observes
cuando salgas
de excursión.

❗ Una persona de tu grupo debe llevar
siempre un móvil totalmente cargado,
para usarlo en caso de emergencia.

Impermeable o chubasquero
si llueve o amenaza lluvia

Gorro de lana
si hace frío

Botas de montaña
o calzado especial
con buena suela

En palabras de un célebre
aventurero inglés:
"No existe el mal tiempo,
solo la ropa equivocada".

🛈 Respeta la naturaleza

Cuando salgas de excursión, es importante respetar el medio ambiente. Aquí tienes algunos consejos:

No toques los animales ni sus nidos. Podrías dañarlos o podrían hacerte daño a ti.

Si tu camino atraviesa una granja con animales, anda en silencio y con calma para no asustarlos.

No recojas plantas ni flores. Podrías matar la planta entera y, en algunos sitios, es ilegal.

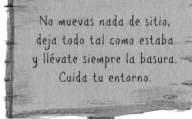

CIERRE LA VERJA

Sigue las reglas de la zona, como cerrar las verjas o cancelas cuando pases aunque no haya ningún cartel que lo diga. Y recuerda que no debes meterte en una propiedad privada.

No muevas nada de sitio, deja todo tal como estaba y llévate siempre la basura. Cuida tu entorno.

Algunos apartados de este libro te enseñan a atrapar animalitos para estudiarlos mejor. Cuando los hayas visto bien, vuelve a dejarlos donde estaban o en un lugar protegido.

❗La seguridad ante todo

Si sales de excursión al campo, a un río
o al mar, sigue estos consejos básicos.

No te acerques mucho a la orilla
cuando haya tormenta, porque las olas
pueden ser muy altas. Ten mucho cuidado
con la marea, porque puede
subir muy rápido.

No te metas en el agua sin saber
qué profundidad tiene.

Las pendientes rocosas
y las laderas escarpadas
pueden ser resbaladizas
e inestables. Evítalas.

Recuerda que siempre
tiene que acompañarte
una persona adulta.

Lleva una botella de agua.
No bebas de ríos ni arroyos.
El agua puede contener
bacterias capaces
de hacerte enfermar.

No salgas de los caminos
y las pistas, y ten cuidado de
no dañar plantas ni animales.

Si hace buen día, no olvides
ponerte protector solar.

Más de dos tercios de la superficie de la Tierra están cubiertos de agua, y todas las plantas y los animales necesitan agua para sobrevivir. Por eso, en zonas cercanas al agua suele haber muchísima vida.

Lagos, ríos y mares

En las costas y en las riberas de los ríos habitan seres vivos de todo tipo. Además, son lugares estupendos para estudiar los movimientos del agua. Las páginas siguientes están llenas de juegos y actividades para disfrutar cerca del agua.

Mares

☆ Juega a las cabrillas

☆ Vigila la marea

☆ Atrapa un cangrejo

☆ Explora pozas de marea

☆ Juega en la orilla

Lagos y ríos

☆ Pesca con salabre

☆ Construye una presa

☆ Haz carreras de palitos

☆ Fabrica una minibalsa

☆ Averigua profundidades

A la orilla del mar

Hay montones de cosas que hacer junto al mar, sea invierno o verano: desde atrapar cangrejos hasta buscar tesoros en la arena.

Pozas de marea

Las pozas de marea son charcos que se quedan entre las rocas cuando baja la marea, donde suele haber mucha vida.

Prueba a pescar con salabre siguiendo las instrucciones de la página 18.

Mejillones

Anémona

Cangrejo

Gamba

A la caza del cangrejo

Con un cebo y un cordel, podrás atrapar cangrejos para verlos de cerca.

Necesitas:

☆ un trozo de cordel o sedal de medio metro o más

☆ una piedrecita

☆ un poco de cebo (un trocito de pan, queso, pescado, etc.)

☆ un cubo de agua de mar colocado a la sombra

1. Ata el cebo y la piedra a un extremo del cordel. Enróllate el otro extremo en un dedo.

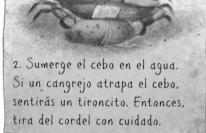

2. Sumerge el cebo en el agua. Si un cangrejo atrapa el cebo, sentirás un tironcito. Entonces, tira del cordel con cuidado.

3. Mete el cangrejo en el cubo para verlo bien. Luego, devuelve el cangrejo y el agua a la poza.

Las marcas que tiene un cangrejo en el abdomen te dicen si es macho o hembra.

Macho

Hembra

En busca del tesoro

Espera a que baje la marea y sal a pasear por la orilla.
Fíjate en la arena para ver qué tesoros ha dejado el mar.

Escribe una lista,
haz una foto o dibuja
las cosas que te gusten.

Ojo, no te lleves nada
de lo que encuentres,
porque podría ser la casa
de un ser vivo.

Busca piedras con formas
y marcas interesantes.

Algas

A ver cuántos tipos
distintos de caracolas,
almejas, algas o trozos
de madera encuentras.
Si puedes, averigua qué
animal vivía dentro
de las caracolas.

Caracolillos
o bígaros

Hueso de sepia

Esto se llama
madera de deriva.

La oreja de mar es un
molusco marino de colores
nacarados muy llamativos.

En la arena
Aquí puedes encontrar rastros
de animales o incluso algún
animal enterrado.

Marcas de un cangrejo

El gusano arenícola
vive en la playa y deja
estos curiosos restos
al excavar su madriguera.

Esto son madrigueras de pulgas
de mar, pequeños crustáceos que
se entierran en la arena de día
y salen de noche a alimentarse.

Huella de ave
acuática

Juegos y actividades

Diviértete jugando en la orilla y aprende cosas sobre el mar y la marea.

Cabrillas

Lanza una piedra al agua e intenta que rebote sobre la superficie el mayor número de veces posible antes de hundirse.

Qué necesitas:

☆ piedras planas

☆ un mar tranquilo sin mucho oleaje

❗ Antes de lanzar ninguna piedra, mira bien que no haya bañistas ni animales delante de ti.

Las mejores piedras son las planas, redondeadas y suaves, como esta.

1. Reúne unas cuantas piedras. Es importante que las elijas bien para que reboten.

2. Colócate en la orilla y agarra una piedra entre el pulgar y el índice. Este último tiene que rodear la piedra.

3. Ponte de lado y lanza con un movimiento rápido de muñeca, para que la piedra gire.

Torneo de saltos

Desafía a tus amigos, a ver quién consigue más rebotes. ¡El récord mundial con un solo lanzamiento es de 88 rebotes!

Dardos de playa

Con un palito o un dedo, dibuja un circulito en la arena que sea el centro de la diana. Luego, dibuja otros cinco círculos a su alrededor. Busca una piedra, aléjate cinco pasos del círculo más grande y lánzala como en la petanca, tratando de acercarte al centro con ella.

Cada círculo tendrá una puntuación: 1 punto para el de fuera, luego 2, 4, 6 y 10 para el central. Cada jugador lanza cinco veces y gana quien más puntos acumule.

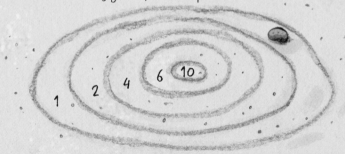

Llenar el cubo

Se hacen equipos y cada equipo coloca un cubo junto a la orilla. Los jugadores forman una fila junto a su cubo con los vasos de plástico en la mano. Cuando un jugador grita "¡Ya!", el primer jugador de cada equipo va corriendo al agua, llena el vaso y vuelve para echar el agua al cubo. Después le toca al segundo, y así sucesivamente. Gana el equipo que llene primero el cubo.

Qué necesitas:

☆ al menos dos equipos de dos personas o más

☆ un cubo de playa para cada equipo

☆ un vaso de plástico para cada jugador

Si no tenéis vasos de plástico, podéis jugar con las manos. ¡Es más difícil y entretenido!

Vigilar la marea

Si te pasas el día entero en la playa, verás que la línea de la orilla se acerca o se aleja en distintos momentos. Es lo que se llama marea. Con esta actividad sabrás cuándo sube y cuándo baja.

1. En cuanto llegues a la playa, clava en la arena un marcador, como un palo, que quede justo en la orilla.

2. Comprueba su posición 30 minutos después. Si el palo está ahora dentro del agua, la marea está subiendo.

Si el agua se ha alejado, es que la marea está bajando.

3. Coloca un marcador en la orilla cada 30 minutos. Si el agua empieza a avanzar en dirección contraria, es que ha llegado la pleamar o la bajamar.

La pleamar es el nivel más alto que alcanza el agua. La bajamar, el más bajo.

En la ribera del río

Los ríos discurren desde las montañas hasta el mar. Si observas bien una ribera u orilla, conocerás mejor el río y también las plantas y animales que viven allí.

❗ Un río puede ser peligroso. No intentes cruzarlo nunca y ve siempre con un adulto. No te acerques a las orillas con mucha pendiente (consulta la información de la página 9).

¿El cauce es rocoso y las aguas rápidas o hay curvas y las aguas son profundas y lentas? Cuanto más lento y sinuoso es un río, más cerca está del mar.

A ver si encuentras aves acuáticas y nidos.

Fabrica una minibalsa (aprende cómo se hace en la página siguiente).

Fabrícate una sonda para comprobar la profundidad del río y pruébala en distintos tramos del cauce.

Busca plantas y animales en el agua y en la orilla.

Sonda

Qué necesitas:

☆ un palito

☆ un cordel como tu pierna de largo

☆ una piedrecita

1. Ata un extremo del cordel al palito y luego el otro extremo a la piedra.

2. Como si tuvieras una caña de pescar, mete la piedra en el agua hasta que toque el fondo. Si no toca el fondo, es que el río es muy profundo.

Mojado hasta aquí.

3. La parte mojada del cordel muestra la profundidad del río.

Fabrica una minibalsa

Fabrica una minibalsa con ramitas y cordeles. Podrías añadirle también una cubierta y una vela para convertirla en un barquito.

Qué necesitas:

☆ cuatro ramitas

☆ cuatro cordeles

☆ tijeras

☆ corteza, musgo y hojas

1. Forma un cuadrado en el suelo con las ramitas.

2. Ata el primer trocito de cordel al extremo de una de las ramitas.

3. Enrolla el cordel a las dos ramitas. Dale dos vueltas.

4. Luego, dale dos vueltas hacia el otro lado y ata los dos extremos del cordel para que quede tenso. Corta el cordel que sobre.

5. Repite la operación en las demás esquinas y la balsa ya estará lista para flotar. ¿Hacia dónde va la corriente?

Algunas ideas para convertir tu balsa en un barquito:

Haz unas velas con dos hojas.

Ata más palitos a la balsa hasta completar la base.

Para las velas, algunas hojas van mejor que otras. Ve probando con distintos tipos, como hojas grandes y rígidas y otras más pequeñas. ¿Con cuáles navega más rápido?

Añádele musgo encima.

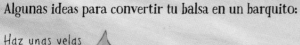

Haz la cubierta con un trozo de corteza.

Estanques y presas

Si vas a un lago o a un estanque, trata de averiguar qué clase de animales
y plantas viven en el agua. Prueba también a construir una presa.

Pesca con salabre

Mete el salabre en el agua y muévelo lentamente
en círculo. Sácalo y luego echa todo lo que pesques
en un cubo para verlo de cerca.

Qué necesitas:

☆ un salabre

☆ un cubo lleno de agua
del sitio donde pesques.

Zapatero

Muchas plantas tienen
las raíces en el agua.

Estos son huevos
de rana.

La mayoría
de animales
se ocultan entre
las plantas que
hay en las orillas.

Caracol de agua

Se convertirán
en renacuajos...

y después
en ranitas.

Camarón

Anota datos
sobre los animales
que pesques para poder
identificarlos luego.

¿Tiene alas
o aletas?

Número
de patas

Pez pequeño

Forma
del cuerpo

❗ Cuando termines,
devuelve los animales al agua.
Procura dejar siempre todo
tal y como lo encontraste.

Construye una presa

Prueba a formar una barrera de piedras y palos para construir una presa en un riachuelo y cortar el cauce. Elige un riachuelo poco profundo y estrecho que puedas cruzar de una zancada. Cuando termines la presa, busca animalitos en el agua y examina el lecho del cauce, a ver qué encuentras.

Qué necesitas:

☆ un riachuelo

☆ troncos, piedras y palos

☆ barro y hojas

1. Forma una línea de troncos y piedras grandes que vaya desde una orilla a la otra.

2. Luego, añade palitos y piedras de menor tamaño hasta que la presa sea más alta que el agua.

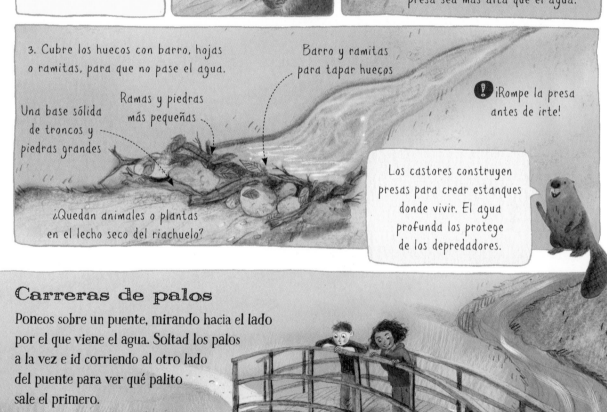

3. Cubre los huecos con barro, hojas o ramitas, para que no pase el agua.

Una base sólida de troncos y piedras grandes

Ramas y piedras más pequeñas

Barro y ramitas para tapar huecos

❗ ¡Rompe la presa antes de irte!

¿Quedan animales o plantas en el lecho seco del riachuelo?

Los castores construyen presas para crear estanques donde vivir. El agua profunda los protege de los depredadores.

Carreras de palos

Poneos sobre un puente, mirando hacia el lado por el que viene el agua. Soltad los palos a la vez e id corriendo al otro lado del puente para ver qué palito sale el primero.

Los mejores palos para carreras son largos y pesados.

El mejor momento para ver animales e insectos es la mañana o el atardecer, porque es cuando están activos. En verano se ven más, porque en invierno muchas especies se esconden para protegerse del frío.

La flora y la fauna

Este apartado te enseña trucos para conocer mejor los seres vivos que te rodean. Averigua qué tipo de animales viven cerca de ti y construye sitios donde puedan alimentarse, anidar o refugiarse.

☆ Recoge huellas de noche

☆ Haz una trampa para insectos

☆ Haz un nido para abejorros

☆ Planta flores silvestres

☆ Identifica las distintas aves

☆ Fabrica un comedero para aves

☆ Construye un baño para aves

Para observar animales, lo mejor es llevar prendas anchas y de colores oscuros que te permitan camuflarte con el entorno y disimulen tu silueta.

Busca animalitos

Si no vives en una gran ciudad, no hace falta que te alejes mucho para descubrir animales. Prueba estas actividades cerca de tu casa o en un parque grande.

Ave

Ciervo

Trampa de huellas

Esta sencilla trampa te permite recoger huellas de animales nocturnos.

Qué necesitas:

☆ una bandeja grande

☆ arena o tierra

1. Al caer el sol, coloca la bandeja en un lugar donde puedan pasar animales y llénala de arena. Déjala cerca de agujeros en vallas o puertas.

Ardilla

2. Deja la trampa toda la noche y, cuando se haga de día, mira si ha pasado algún animal. Compara las huellas con las de esta página para ver de qué animal son.

Zorro

Ave acuática

Con paciencia

No hacen falta trampas para ver animales. Basta con quedarte en silencio junto a un camino o buscar una zona tranquila desde la que puedas observar. Si no reconoces algún animal, toma notas y búscalo luego en Internet.

Gato

Si tienes un estanque en casa, pon la bandeja cerca del agua para recoger huellas de animales acuáticos, como ranas o aves.

Trampa para insectos

Coloca esta trampa para atrapar insectos y verlos de cerca. Cuando hayas acabado de observar cada animalito, deja el vaso de plástico en el suelo y espera a que salga por sus propios medios.

Qué necesitas:

☆ una pala de jardín

☆ un vaso de plástico

☆ piedras

☆ un trozo de madera o de azulejo viejo

1. Cava un agujero en el suelo y mete el vaso de plástico de forma que quede por debajo de la superficie.

2. Pon unas piedrecitas a ambos lados y coloca encima la madera o el azulejo. Deja la trampa durante unas horas y vuelve luego para ver qué ha caído.

Aquí tienes algunos consejos para identificar los tipos de insectos que captures:

Escarabajo
Caparazón duro y brillante
Seis patas

Milpiés
Cuerpo muy largo con muchas patas

Oruga
Cuerpo alargado y peludo. Algunas pueden tener colores muy llamativos.

Araña
Ocho patas

Caracol o babosa
Los caracoles tienen caparazón.
Cuerpo resbaladizo y sin patas

Hormiga
Cuerpo oscuro y seis patas

❗ No toques ninguno de los animales que veas o atrapes, y no toques nunca un nido. Algunos animales muerden o pican si se sienten amenazados.

23

Un jardín para insectos

Crea una zona especial para animalitos en el jardín de tu casa. Algunos insectos ayudan a las plantas a crecer y sirven de comida a aves y otros animales.

Flores amigas

Las abejas y las mariposas se alimentan de un líquido, llamado néctar, que está dentro de las flores. Por eso buscan flores y plantas con néctar abundante o de fácil acceso. Prueba a cultivar un pequeño huerto con plantas que sean del gusto de abejas y mariposas. Fíjate en estas páginas, investiga por Internet y pregunta en algún vivero de tu zona.

Estos insectos transportan de unas flores a otras un polvito llamado polen y así ayudan a formar más plantas. Es lo que se llama polinización.

Amapola de California

A las abejas les gusta la menta, la mejorana, el orégano, la lavanda y el cebollino.

Lavanda

Margarita

Cebollino

Nido para abejas

Si quieres tener tu propio panal de abejas, busca una maceta.

Llénalo de trocitos de hierba, ponlo boca abajo y déjalo medio enterrado entre la hierba.

Es fácil cultivar flores que atraigan a las abejas a partir de semillas. Esparce un sobrecito de ellas sobre compost y luego cúbrelas bien con una capa fina de compost. Riega las semillas cada dos días más o menos.

Cuando hayas colocado la colmena, no la toques ni mires por el agujero del macetero, porque las abejas podrían picarte.

Agujerea un par de trozos de naranja con un lápiz. Pasa un cordel por el agujero y anúdalo.

Cuelga el cordel de un árbol o un arbusto. Las mariposas acudirán a alimentarse del zumo de naranja.

Hierba alta

Al dejar crecer la hierba, permitimos que muchas especies de insectos y otros animalitos tengan sitios donde anidar y refugiarse. No pisotees las zonas de hierba alta.

La budelia es una planta con muchas florecitas de color morado a la que llaman "arbusto de las mariposas" porque atrae a estos animales.

Las orugas se alimentan de plantas como las ortigas, y sirven también de alimento a muchos pájaros.

Las libélulas se posan en la hierba a descansar.

Escondite ideal

Prueba a crear escondites para caracoles, ranas y otros animales.

Cava un agujerito en el suelo y tapa la mitad con una piedra, un ladrillo o una teja.

Madera vieja

Algunos escarabajos y la carcoma anidan en madera vieja y podrida.

Coloca trozos de madera o corteza en lugares húmedos y a la sombra.

Observación de aves

Vivas donde vivas, hay muchas aves que observar durante todo el año. Para identificar un ave, fíjate bien en el tamaño, los colores y otras características físicas. Toma notas o dibújala. Si te hiciera falta más información, busca en Internet. Aquí tienes una breve guía que te ayudará a empezar.

Un buen punto de partida es identificar el tamaño del ave. ¿Es pequeña y ligera, o grande y fuerte?

Picos

Algunas aves acuáticas tienen un pico largo y curvo que les permite pescar.

Las aves rapaces tienen el pico ganchudo y fuerte para desgarrar la carne.

Plumas

¿Tiene dibujos en las alas?

¿Tiene partes de colores llamativos o es toda del mismo tono?

Las aves que comen semillas tienen el pico grueso y puntiagudo.

Patas

Las aves que se alimentan de semillas e insectos tienen las patas pequeñas y finas.

Las aves rapaces tienen unas garras fuertes y afiladas.

Algunas aves se identifican por su forma de volar. Fíjate en la forma de las alas y observa si planean, aletean o suben y bajan usando corrientes de aire.

Las aves acuáticas tienen las patas palmeadas para nadar.

Usa las ideas de esta página
para atraer aves a tu jardín.

Comedero

Un comedero para pájaros nos asegura la visita
de aves hambrientas, sobre todo en invierno y al
comenzar la primavera. Es muy fácil de hacer.

Recubre un tubito de cartón
con mantequilla y rebózalo
de semillas para pájaros.
Encájalo en una rama...

o átale un cordelito
y cuélgalo del árbol.

Baño para pájaros

Llena de agua una bandeja vieja o un plato
y déjalo en el jardín para que los pájaros
puedan beber y bañarse.

Pon también una ramita para que
las aves se posen y puedan beber
sin tener que mojarse enteras.

Pon un poco de grava
o arena en el fondo para que
parezca más natural.

Materiales para
construir nidos

En primavera, deja materiales para
que los pájaros se construyan sus
nidos. Busca un lugar protegido.

Ramitas

Musgo

Hojas secas

Hierba

A medida que crecen, los árboles van añadiendo capas al tronco. Como estas capas forman anillos a razón de uno al año, para saber cuántos años tiene un árbol basta con contar los anillos. Busca un tocón y cuenta la edad que tenía el árbol cuando lo talaron.

Anillos

Sal a conocer el bosque

En los árboles (los de los bosques y los de las ciudades) viven multitud de seres vivos, desde aves e insectos hasta hongos. Aprende a identificar distintos tipos de árboles, frutos y semillas. ¡Es imposible aburrirse en un bosque!

☆ Identifica árboles

☆ Busca semillas y frutos

☆ Busca vida junto a los árboles

☆ Monta una pista de obstáculos

☆ Marca una senda

☆ Crea una obra de arte en el bosque

Detectives verdes

La forma más fácil de identificar un árbol es examinar sus hojas.
Busca una hoja y fíjate en la forma, en los bordes y en la textura.
Luego, dibújala o toma notas en tu cuaderno. Fíjate en los ejemplos.

Los árboles de hoja perenne
conservan las hojas todo el año.
Suelen ser gruesas y brillantes
o tener forma de aguja.

El acebo es de
hoja perenne.

Las hojas con bordes
en ondas, como esta
de roble, se llaman
lobuladas.

Hoja gruesa
y brillante

Algunos árboles
pierden la hoja
en invierno.
Se llaman árboles
de hoja caduca.

Puntas espinosas

Forma de aguja

Algunas hojas son lanceoladas
y presentan surcos, como
esta hoja de haya.

Las coníferas
son árboles con
muchas hojitas
juntas.

Algunos árboles,
como el fresno,
son de hoja pequeña
y espaciada.

Hay hojas que
parecen tener
cinco "dedos",
como una mano.
Otras tienen tres.

Para saber a qué árbol
pertenece una hoja, mira
en Internet o visita el sitio
web de Quicklinks de Usborne
(ver página 5).

Hoja de arce

Semillas y frutos

Hacia finales del verano, los árboles producen todo tipo de semillas y frutos, que caen al suelo para convertirse en otros árboles. Aquí tienes algunos de los distintos tipos que puedes encontrarte en el suelo del bosque.

Sámaras
Semillas en forma de ala como la del arce

Fruta
Blanda, como la ciruela, o dura, como la manzana

Estas semillas caen al suelo dando vueltas.

Bellota
Fruto del roble

Piña
Los pinos y otras coníferas protegen así sus semillas.

Castaña
Las semillas del castaño de Indias son oscuras y tienen una cápsula con púas.

La vida en el suelo

En la base húmeda de los árboles o sobre los troncos caídos viven multitud de seres vivos que se alimentan de madera podrida y hojas secas. ¿Cuántos serás capaz de encontrar?

Agujeros de carcoma

Líquenes

Hormigas

Algunos escarabajos y la carcoma se alimentan de madera podrida.

Un búho en su nido

Tronco

Observa bien un tronco y busca rastros de animalitos: nidos, arañazos en la corteza o, si tienes suerte, hasta algún animal.

Corteza dañada por pájaros carpinteros o ardillas.

Ardilla

Musgo verde

En la corteza húmeda o en la base del tronco crecen setas.

Entre las raíces, a veces se ven las bocas de madrigueras.

Obstáculos y sendas

Además de explorar, en el bosque hay muchas formas de pasarlo bien, como jugar en una pista de obstáculos o marcar una senda.

Pista de obstáculos

Los bosques están llenos de obstáculos como troncos caídos, tocones y charcos. Te proponemos unas ideas divertidas para crear tu propia pista y superarlos. No intentes batir récords y mira bien antes de saltar para no hacerte daño.

Equilibrio sobre tocones

Súbete a un tocón y mantente encima con una sola pierna. ¿Cuánto aguantas?

Salto con precisión

Dobla las rodillas y estira los brazos hacia atrás. Salta hacia delante y acompaña el movimiento con los brazos para subir al tocón sin caerte.

Salto sin pértiga

Corre hacia un tronco caído. Coloca ambas manos sobre él y sáltalo limpiamente de lado, como en el dibujo.

Salto de charcos

Toma carrerilla e impúlsate con una pierna para saltar sobre un charco y caer con la otra pierna.

Senda infalible

Si vas a un bosque y sois varios, os podéis dividir en dos grupos. Un grupo marca una senda para que el otro la siga. Aquí tienes unas cuantas ideas.

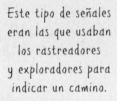

A la derecha

A la izquierda

Haz las señales con cosas que encuentres en el bosque, como palos o piedras. Procura que sean grandes y fáciles de ver, para que el otro equipo las encuentre fácilmente.

Pasar por encima

¡Peligro!
Ortigas o espinas

Este tipo de señales eran las que usaban los rastreadores y exploradores para indicar un camino.

Por aquí no

Es mejor que la senda no sea muy larga ni muy complicada, sino clara y sencilla.

Señales naturales

Otra forma de marcar una ruta es usar señales naturales como troncos caídos, arroyos o árboles con algo diferente. Sal a dar una vuelta y haz una lista de este tipo de señales características. Luego, da instrucciones al otro equipo para ver si puede orientarse con ellas.

Puedes marcar la meta con un montón de piedras.

Arte natural

Cuando estés en el bosque, puedes usar las cosas
que te rodean para crear obras de arte naturales.

Esculturas únicas

Con palos y piedras puedes hacer esculturas muy interesantes.

Reúne piedras de distintos
tamaños: pequeñas, medianas
y grandes. Haz un montoncito,
colocando las más grandes
en la base y las más pequeñas
en lo alto.

Podrías formar
unos círculos
con distintos
tipos de piedras.

Reúne palitos del mismo
tamaño y apílalos formando
un dibujo que quede bonito.

❗ Usa solo lo imprescindible
para crear tu obra de arte
y no utilices nada que pueda
ser el hogar de un animal.
Haz una foto de tu obra
y luego vuelve a dejar
las cosas como estaban.

El arte de las pisadas

También puedes crear arte con tus propias huellas.

Si hay barro o arena, pisa y deja tus huellas.
Después, pasa por el mismo sitio y mete los pies
en las huellas para hacerlas más profundas.

Forma un dibujo en la hierba
pasando varias veces
por el mismo sitio.

Piensa en otras
formas de crear arte
natural que no estén
en estas páginas.

Silueta humana

Prueba a crear una obra de arte con palos, piedras, hojas y tu propio cuerpo.

Una persona se tumba sobre terreno seco con las piernas y los brazos abiertos. La otra persona traza su silueta con palitos, piedras y hojas.

Cuando te levantas, tu silueta queda trazada en el suelo.

Círculos con hojas

Hacia el final del otoño, recoge distintos tipos de hojas y colócalas en círculos, formando dibujos con los colores.

❗ Nunca arranques hojas de los árboles.

Este tipo de arte también se llama "arte terrestre". Hay artistas que crean sus obras de arte con materiales naturales. Si quieres ver unos ejemplos, visita el sitio web de Quicklinks de Usborne (ver página 5).

Líneas onduladas

Prueba a formar un dibujo interesante sobre el suelo colocando filas de palitos.

35

Durante su entrenamiento, los astronautas aprenden a sobrevivir en la naturaleza, construir vivacs y hacer fuego, por si su cápsula cayera en una zona aislada a su regreso a la Tierra.

De acampada

Acampar en el monte es una gran aventura y aquí tienes información sobre cómo hacerlo: desde elegir el mejor sitio hasta plantar una tienda o hacer una hoguera.

☆ Encuentra el lugar ideal   ☆ Oriéntate gracias al Sol

☆ Prepara una hoguera   ☆ Traza un mapa

☆ Asa una patata al fuego   ☆ Comunícate con mensajes secretos

☆ Construye un vivac

Cuando te vas de acampada, los nudos sirven para muchas cosas.
Este nudo es para atar una cuerda a un árbol o un poste.
Sigue los pasos y úsalo para construir el vivac de la página 41.

1.   2.   3.

Un campamento perfecto

Para elegir bien dónde acampar hay que tener en cuenta varias cosas importantes.

Dónde plantar la tienda

Antes de plantar tu tienda de campaña,
mira a tu alrededor y busca el mejor sitio.

En muchos lugares no está permitido acampar. Lo mejor es ir a una zona de acampada acotada o a un camping.

Los ríos y los lagos atraen a los insectos y pueden desbordarse si llueve mucho, así que no acampes demasiado cerca de la orilla. Si el terreno está en pendiente, coloca la puerta de la tienda hacia abajo para que no entre el agua de lluvia.

Si hace fresco, orienta la tienda hacia el Este. Como el sol sale por esa dirección, la calentará por la mañana. Para saber dónde está el Este, consulta la página 44.

Busca una parcela plana y límpiala de piedras y palos antes de plantar. Los palos pueden servirte para hacer fuego.

Prueba a construirte un vivac o refugio por diversión. Sigue las instrucciones de las páginas 40 y 41.

Si hace calor, busca una zona que esté a la sombra. Madruga y sal de la tienda antes de que el sol la caliente mucho.

Cómo hacer fuego

Un buen fuego sirve para calentarse y cocinar. Antes de encenderlo, asegúrate de que tenéis permiso. Ten en cuenta que en la mayoría de bosques está prohibido hacer fuego.

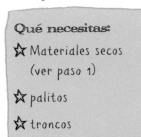

Qué necesitas:

☆ Materiales secos (ver paso 1)

☆ palitos

☆ troncos

Helechos

Piñas

Hierba

Hojas

1. Reúne materiales secos que prendan con facilidad. Arriba tienes algunos ejemplos.

2. Haz un montoncito con los materiales secos y luego forma una pirámide de palitos.

❗Esto lo hace un adulto.

3. Con una cerilla, se prenden los materiales secos del centro.

4. Cuando los palitos estén ardiendo, añade los troncos más gruesos. Así, la hoguera durará más tiempo.

❗ Mucho cuidado

El fuego puede ser muy peligroso.
Lee con atención estos consejos.

Siempre tiene que haber un adulto cerca.

No te acerques mucho a las llamas.

No enciendas una hoguera cerca de una tienda o un edificio.

Prepara un cubo de agua o arena para apagar bien el fuego antes de irte.

No dejes desatendida nunca una hoguera.

Construye un vivac

Aquí aprenderás a construirte un vivac o una cabaña
con unos palos o con tan solo una cuerda y una lona.

Estructura de palos

Puedes construirte un vivac de madera con los palos y ramas que te encuentres en el bosque.
Aunque parece muy simple, es una estructura muy estable y la emplean muchos exploradores.

Qué necesitas:

☆ dos ramas con horquilla

☆ una rama larga

☆ muchas ramas más
   finas y palos rectos

1. Para hacer la entrada
del vivac, encaja las dos
ramas bifurcadas formando
un triángulo.

2. Con mucho cuidado, apoya
un extremo de la rama larga
sobre las otras dos. Procura
que se queden en pie sin ayuda.

3. Luego, añade las ramitas a ambos lados.
Apóyalas una a una sobre la rama larga.
Te harán falta palos y ramas
de distintas longitudes.

¿Te cabe dentro
el cuerpo entero?

Si el suelo está lleno de ramitas
y hojas, puedes usarlas para cubrir
los laterales del vivac. Entreteje
las ramitas más finas con las más
gruesas y engancha las hojas encima.

Cuerda y lona

Ata un trozo largo de cuerda o cordel
muy resistente entre dos árboles. Luego,
échale encima una lona o una sábana.

Cubre el suelo
con hojas secas.

Usa piedras para
que los lados
no se vuelen.

Antes de regresar
a casa, desmonta
el vivac y deja la zona
tal y como estaba.

Lona y piqueta

Ata la esquina de una lona o sábana
al tronco de un árbol. Luego, fija
el otro extremo al suelo con un palo
o una piqueta. Pliega los lados
hacia dentro para hacer el suelo.

Si la lona no tiene
agujeros, enrolla una
piedra pequeña en
una esquina y átale
la cuerda alrededor.

Ata el extremo opuesto
a una piqueta de una tienda
o un palo clavados en el suelo.

Coloca piedras por dentro,
para que la lona no se vuele.

41

Cocina campestre

Cuando las llamas de la hoguera se han apagado y las brasas están
al rojo vivo, es el mejor momento para preparar algo riquísimo.

Qué necesitas:

☆ papel de aluminio

☆ cuchillo y cuchara

☆ pinzas de metal

☆ guantes de horno

❗ Hasta el fuego más
pequeño puede ser peligrosísimo.
Lee muy bien la información
de seguridad de la página 39
antes de encender una hoguera.

Espera hasta que
no haya llamas.

Las brasas están
al rojo vivo.

Los troncos se cubrirán
de ceniza blanca.

❗ Usa siempre un guante de horno
para tocar la comida caliente.
Si vas a sacar o meter alimentos
en el fuego, usa unas pinzas.

Galletas con nubes de azúcar

Ingredientes:

☆ nubes

☆ galletas

☆ palitos

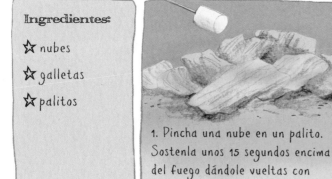

1. Pincha una nube en un palito.
Sostenla unos 15 segundos encima
del fuego dándole vueltas con
bastante lentitud.

2. Sin sacarla del palito, coloca la nube
de azúcar sobre una galleta. Ponle
otra encima y aprieta con cuidado.
Después, desliza hacia fuera el palito.

Patatas a la brasa

Ingredientes:

☆ una patata grande por persona

☆ mantequilla o margarina

1. Corta las patatas en dos con un cuchillo. Pon una cucharada de mantequilla o margarina entre las dos mitades y vuelve a unirlas.

2. Envuelve las patatas en papel de aluminio. Ponte el guante y usa las pinzas para meterlas entre las brasas.

3. Déjalas así 20 minutos. Luego, usa las pinzas para darles la vuelta. Déjalas otros 20 minutos y sácalas.

4. Aprieta una patata con el guante puesto. Si está blandita es que está lista. Si no, vuelve a echarla a las brasas otro rato.

5. Una vez hechas, deja que se enfríen durante 10 minutos antes de desenvolverlas. Si quieres, puedes echarles queso rallado.

Mazorcas de maíz

Ingredientes:

☆ mazorcas de maíz con las hojas y todo

☆ mantequilla o margarina

1. Mete el maíz en agua durante una hora.

2. Enrolla las mazorcas en papel de aluminio. Ponte el guante y usa las pinzas para meterlas entre las brasas.

3. Espera 20-25 minutos y sácalas del fuego con las pinzas. Deja que se enfríen durante 10 minutos.

4. Desenvuélvelas con mucho cuidado y quítales las hojas. Luego, úntalas con mantequilla o margarina y a comer.

❗ Cuando hayas acabado con el fuego, apágalo con agua o arena. Y no olvides llevarte la basura y todo lo que hayas traído.

Orientación

Cuando salgas de excursión, el Sol y el paisaje te pueden ayudar
a orientarte, aunque es mejor que lleves siempre un buen mapa.

Anota los rasgos del terreno
que se distingan claramente.

Puesta de Sol

El Sol y la Luna
salen por el Este
y se ponen por el Oeste.

Encuentra el Norte gracias al Sol

Si no está nublado, el "movimiento" del Sol por el cielo te ayuda a saber dónde está el Norte sin brújula.

Qué necesitas:

☆ un espacio abierto
y soleado

☆ un palo o una rama
recta de al menos
1 m de largo

☆ dos piedras

1. Clava el palo
en el suelo y coloca la primera
piedra en el punto justo donde
acaba la sombra.

Primera piedra

2. Espera
20 minutos.
Con la segunda
piedra, marca la posición
de la sombra en el suelo.

3. Pisa la primera
piedra con el pie
izquierdo y la segunda
con el pie derecho.
Estarás mirando
al Norte.

4. Cuando
sepas dónde
está el Norte,
podrás marcar
el resto de
los puntos
cardinales.

Norte

Este

Oeste

Sur

Traza tu propio mapa

Para trazar un mapa te basta con una hoja de papel,
lápices de colores y capacidad de observación.
Puede servir para indicar una ruta a tus amigos
o para saber dónde acampar o dónde refugiarte.

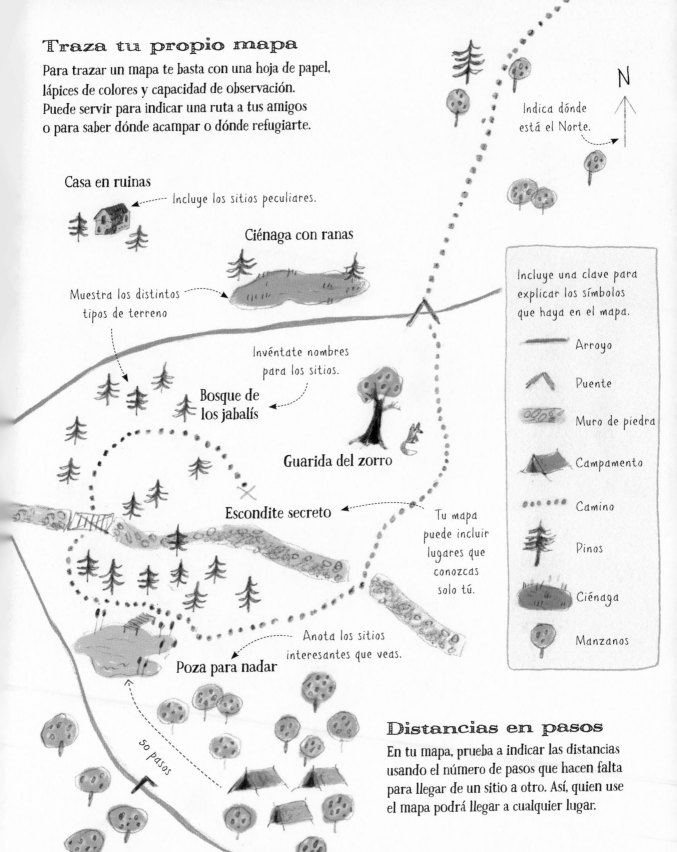

Indica dónde
está el Norte.

N

Casa en ruinas

Incluye los sitios peculiares.

Ciénaga con ranas

Muestra los distintos
tipos de terreno

Invéntate nombres
para los sitios.

**Bosque de
los jabalís**

Guarida del zorro

Escondite secreto

Tu mapa
puede incluir
lugares que
conozcas
solo tú.

Incluye una clave para
explicar los símbolos
que haya en el mapa.

Arroyo

Puente

Muro de piedra

Campamento

Camino

Pinos

Ciénaga

Manzanos

Anota los sitios
interesantes que veas.

Poza para nadar

50 pasos

Distancias en pasos

En tu mapa, prueba a indicar las distancias
usando el número de pasos que hacen falta
para llegar de un sitio a otro. Así, quien use
el mapa podrá llegar a cualquier lugar.

Mensajes en clave

Aprender a enviar mensajes sin palabras resulta muy útil para cualquier excursionista o aventurero, porque permite comunicarse a gran distancia. Además, es una forma muy divertida de enviar mensajes secretos a tus amigos.

Colócate de forma que veas bien la linterna de la otra persona.

❶ Procura no dirigir la luz a los ojos, porque deslumbra.

Código morse

En morse, cada letra del alfabeto se convierte en una serie de puntos y rayas. Si está oscuro, puedes enviar un mensaje en morse a alguien con solo encender y apagar una luz.

Necesitas una copia del código, un cuaderno y un lápiz para descifrar el mensaje.

- • Un punto es un destello de luz de un segundo.
- — Una raya es un destello de luz de tres segundos.

Espera dos segundos entre letra y letra y cinco segundos entre palabra y palabra.

El alfabeto morse

A	• —	H	• • • •	O	— — —	V • • • —
B	— • • •	I	• •	P	• — — •	W • — —
C	— • — •	J	• — — —	Q	— — • —	X — • • —
D	— • •	K	— • —	R	• — •	Y — • — —
E	•	L	• — • •	S	• • •	Z — — • •
F	• • — •	M	— —	T	—	
G	— — •	N	— •	U	• • —	

Código semáforo

El semáforo es un alfabeto que se usaba en el mar para enviar mensajes de un buque a otro. El marinero que enviaba el mensaje extendía los brazos sujetando banderas en una posición distinta para cada letra. Si no tienes banderas, puedes hacerte unas con cartulina.

Prueba a deletrear alguna palabra y enviar un mensaje sencillo.
¿Te parece más fácil o más difícil de entender que el morse?

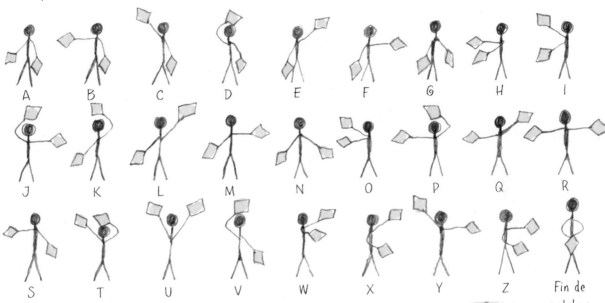

A B C D E F G H I

J K L M N O P Q R

S T U V W X Y Z Fin de palabra

Tu propio idioma en clave

Cuando domines el morse y el semáforo, podrías usar distintos sonidos o posturas para enviar tus propios mensajes secretos. Aquí tienes unas cuantas ideas para empezar:

Fingir que pisas fuerte

Peligro

Agáchate

Animal cerca

"¡Au, au!"

Procura que todas las señales sean muy claras y no se parezcan en nada a las demás para evitar confusiones.

47

Hay quien cree que es posible predecir el tiempo observando las hojas de los árboles de hoja caduca, como el arce o el abedul. Según esta teoría, si las hojas se curvan hacia arriba, se avecina lluvia.

Contra viento y marea

Si tienes planeado salir de excursión, no dejes que la lluvia o la nieve te lo impida. Hay muchas formas de divertirse.

☆ Conoce los tipos de nubes

☆ Predice el tiempo

☆ Mide la cantidad de lluvia

☆ Prepárate para la lluvia

☆ Explora un paraje nevado

☆ Construye un iglú

El arcoíris aparece cuando la luz solar atraviesa las gotitas de agua que hay en el aire. Se suele ver cuando llueve y el Sol asoma entre las nubes al mismo tiempo.

Tipos de nubes

Sal a la calle, busca un espacio abierto para observar el cielo
y fíjate bien en las nubes. Existen muchos tipos distintos.
Gracias a estas páginas, empezarás a conocerlos mejor.

Cirros
Nubes blancas y finas,
como mechones de pelo

Cirrostratos
Capa fina de nubes blancas
que cubre el cielo

Nimbostratos
Capa gruesa
de nubes oscuras

Estas líneas rectas son
las estelas de vapor que
dejan los aviones en el cielo.

Estratos
Capa horizontal y uniforme
de nubes bajas

Cúmulos
Nubes grandes y algodonadas,
con la base plana

Cumulonimbos

Nubes de tormenta altas
y oscuras que ocupan buena
parte del cielo

Cirrocúmulos

Nubes blancas
muy pequeñas
y algodonadas

Altocúmulos

Nubes alargadas
y esponjosas

Predice el tiempo

Cuando no había estudios meteorológicos,
la gente observaba las nubes por la mañana
para saber qué tiempo iba a hacer ese día.
Tú también puedes intentarlo; a ver cuántas
veces aciertas y cuántas te equivocas.

**Estratos
y nimbostratos**

Posibilidad de llovizna o nieve

Cirrostratos

Posibilidad de llovizna,
neblina o niebla

**Cirros y
altocúmulos**

Tiempo variable

Cúmulos

Posibilidad de lluvia, si las nubes
crecen, o de buen tiempo, si se
quedan del mismo tamaño todo
el día.

Cumulonimbos

Posibilidad de tormentas
con mucha lluvia, granizo
o incluso rayos y truenos.

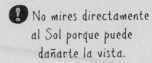

❗ No mires directamente
al Sol porque puede
dañarte la vista.

Lluvia y nieve

Aunque llueva o nieve, puedes ponerte ropa impermeable
y salir al exterior. Te proponemos unas cuantas actividades.

Usa el agua de lluvia
que recojas para
regar las plantas
cuando no llueva.

Un pluviómetro

Un pluviómetro sirve para medir la cantidad de lluvia que cae.
Déjalo en el exterior unos días, a ver cuánto llueve en tu zona.

Qué necesitas:

☆ un vaso de plástico
(si puedes, un vaso
alto de esos con
tapa de cúpula
y agujero)

☆ unas piedrecitas

☆ un rotulador

☆ una regla

Así,
el viento
no vuelca
el vaso.

1. Mete las piedrecitas
en el vaso y cúbrelas
de agua. Pon la tapa,
pero al revés.

2. Empieza desde
el nivel del agua que
hay y marca el lateral
cm a cm hasta arriba.

3. Saca el vaso
al exterior. Cuando
llueva, comprueba
el nivel del agua.

A buscar animalitos

A algunos animales les encanta la lluvia.
Ponte ropa adecuada y sal a observarlos.

Los pájaros cazan
animalitos que salen
cuando llueve.

Las ranas necesitan humedad
en la piel para respirar, por eso
salen más del agua si llueve.

Las lombrices salen
a la superficie cuando
la tierra está mojada.

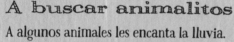

Caracol

Babosa

Una nevada

Cuando el aire se vuelve muy frío, el agua de
las nubes se congela y cae en forma de nieve,
que puede cambiar un paisaje conocido.

Los copos de nieve
tienen formas
increíbles y únicas.
No hay dos iguales.
Usa una lupa para
verlos de cerca.

Los carámbanos de hielo
se forman cuando el agua
se derrite, forma gotas
y vuelve a congelarse.

Si nieva mucho y sopla
mucho viento, la nieve
tiende a acumularse
en algunos sitios.

Si ves huellas de
animales, intenta
identificarlas
con la guía de
la página 22.

La escarcha se forma
al congelarse gotitas
de agua. Puede formar
dibujos preciosos en
plantas y ventanas.

Mini iglú

Si hay mucha nieve, puedes
construirte un mini refugio
que se llama iglú.

Qué necesitas:

☆ tarrinas de plástico,
como las de los helados

☆ ropa de abrigo,
guantes incluidos

5. Encaja unos
ladrillos para cerrar
la parte de arriba.

1. Mete nieve en
las tarrinas y aprieta
fuerte para fabricar
ladrillos de nieve.

2. Para construir
la base, forma un
círculo de ladrillos.

4. Tapa con
nieve los huecos
que queden.

3. Ve añadiendo círculos de ladrillos
sobre la base. Acerca ligeramente
cada nuevo círculo hacia el centro.

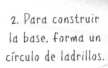

Juegos al sol

Te proponemos unos cuantos juegos para grupos.
Son perfectos para jugar en verano, aunque valen
para cualquier época del año.

El escondite al revés

Un jugador tiene 30 segundos para esconderse y los
demás lo buscan. Quien lo encuentra, se esconde con él.
El último que quede es quien pierde... y además es
quien se esconde primero en la siguiente partida.

Si la zona es
muy grande, poned
unos límites para que
no sea muy difícil.

Bailar
el limbo con
una cuerda

Pista americana

Crea tu propia pista americana con
cosas que tengas en casa. Cronometra
a tus amigos para ver quién la completa
en menos tiempo.

Puedes usar:

☆ cuerda o cordel
☆ cubos
☆ pelotas
☆ sacos o sábanas

☆ aros
☆ cualquier cosa
que encuentres

Llegar
a la meta
a la pata coja

Ir saltando
de aro en aro

Subirse
a un tocón

Meter una pelota
en un cubo

Búsqueda del tesoro

Una persona escribe una lista de cosas que hay que descubrir. Cada jugador se lleva una copia y las busca. Gana quien lo encuentre todo antes que nadie.

Recuerda que no hay que llevarse nada y basta con ver las cosas.

La lista puede incluir cosas como:

Una estatua

Una hoja lobulada

Esta actividad es genial para todo el año. Según la estación, las cosas que haya que buscar irán cambiando.

Un animal salvaje, como una ardilla

Un perro

Un ave

Una planta acuática

¡YA!

El guardián del castillo

Decidid los límites del "castillo". Un jugador es el guardián y cuenta hasta 30 mientras los demás se esconden. Cuando el guardián grita "¡Ya!", los demás deben intentar volver al castillo sin que el guardián los vea.

El castillo puede ser un árbol, una valla o lo que vosotros decidáis.

La partida se acaba cuando todos los jugadores llegan al castillo o son descubiertos por el guardián. Entonces, le toca ser guardián a otro.

Los animales que están
activos principalmente por
la noche se llaman nocturnos.
En los lugares muy cálidos,
es una de las maneras
que tienen para evitar
las horas de más calor.

Por la noche

Busca y escucha animales nocturnos
o disfruta observando las estrellas.

☆ Escucha a búhos y zorros

☆ Busca luciérnagas

☆ Atrae a polillas con luz

☆ Sigue rastros de caracoles

☆ Conoce constelaciones

☆ Busca planetas
y estrellas fugaces

☆ Estudia bien la Luna

☆ Encuentra el Norte
gracias a las estrellas

La vida nocturna

Cuando nos vamos a dormir, muchos animales despiertan.
Pide a un adulto que te acompañe y organiza una salida
por la noche, para conocer mejor a los animales nocturnos.

Excursión al anochecer

Salid cuando caiga el sol y poneos ropa de abrigo.
Parad de vez en cuando, apagad la linterna y quedaos
unos minutos escuchando en silencio. ¿Veis u oís algo?

"Tu-huuú".

Murciélagos

Vuelan cerca del agua para atrapar
insectos. Son oscuros y cambian
de dirección rápidamente.

Búhos y lechuzas

Salen a cazar a ras de suelo.
Es más fácil oírlos que verlos.

Insectos

Muchos insectos se
sienten atraídos por la luz.
Mira debajo de las farolas
y escucha su zumbido.

"¡Croac!".

Algunos animales se crean su propia luz.
En algunas zonas, se distinguen las lucecitas
de las luciérnagas en setos y hierbas altas.

Ranas y sapos

Búscalos cerca del agua, entre
la hierba mojada, o escúchalos croar.

"¡Auuu!".

"¡Ark, ark!".

Los grillos hacen
muchísimo ruido.
Lo producen frotando
las alitas a toda
velocidad.

Zorros

Pueden vivir en cualquier parte,
incluso en la ciudad. Emiten un sonido
muy agudo y característico.

Detective de noche

Con paciencia y una buena linterna,
es fácil encontrar animales nocturnos.

Trampa para polillas

Cuelga una sábana vieja de un tendedero
o una valla. Alúmbrala con la linterna y se
llenará de polillas atraídas por la luz.

Fíjate en las distintas
polillas que hayas atrapado
e intenta identificar
alguna especie.

¿Ha caído algún insecto
más en la trampa?

Ojos brillantes

Los ojos de los animales
reflejan la luz. Ilumina
lentamente la hierba
y los arbustos con
tu linterna y fíjate bien.
¿Ves algún brillo especial?

El brillo de los ojos
de las ranas es verde.

El de los ojos de
los gatos es amarillo.

El de los ojos de
los zorros es rojo.

Rastros de baba

Los caracoles y las babosas
dejan rastros de baba que
brillan cuando los alumbras con
la linterna. Sigue uno a ver si
encuentras al animal que lo dejó.

Los rastros de caracol son a puntitos. - - - - - - >

Los de babosa son continuos. - - - - - - >

Astronomía básica

En una noche despejada puedes ver las estrellas, la Luna e incluso planetas y estrellas fugaces. Es más fácil verlas en el campo, lejos de las luces de la ciudad. Si sales de noche, sal siempre con un adulto.

Lo que veas dependerá del lugar del mundo donde estés y de la época del año. Infórmate en Internet para saber qué estrellas se ven en tu región la noche que quieras salir a observarlas.

Constelaciones

Los primeros astrónomos imaginaron que las estrellas formaban figuras y las llamaron constelaciones. Estas son algunas de las más conocidas.

Esta estrella enorme se llama Betelgeuse.

Orión tiene forma de hombre con un escudo y una espada. Se llama así por un cazador de la mitología griega.

La más brillante

La estrella más brillante del firmamento es Sirius, que significa "en llamas" en griego.

La Estrella Polar se ve justo encima del Polo Norte, así que siempre señala en esa dirección.

La Estrella Polar o Polaris está sobre este extremo de la Osa Mayor.

La Osa Mayor también se llama "el Carro" o "el Cazo".

En el hemisferio sur siempre está visible la Cruz del Sur, cuyo "pie" señala en esa dirección.

Cómo ver las estrellas

Poneos ropa de abrigo y llevaos una manta. Buscad un lugar abierto, en mitad de un prado. Lo mejor es sentarse o tumbarse boca arriba, para poder observar el cielo cómodamente. Apagad la linterna y a disfrutar.

La Luna

La Luna es una roca esférica gigante que
gira alrededor de la Tierra. Aunque parezca que
desprende luz, en realidad solo refleja la del Sol.

Así es la
Luna llena.

Estas manchas oscuras se llaman mares.
Son manchas de lava de erupciones volcánicas.

A medida que la Luna viaja alrededor
de la Tierra, el Sol la va iluminando
por distintas partes y por eso parece que
va cambiando de forma durante el mes.

Luna   Cuarto   Luna
menguante   menguante   llena

Planetas

Los planetas se diferencian
de las estrellas en que estas
titilan, mientras que
los planetas no.

Marte emite
un brillo rojizo.

Júpiter parece una estrella
muy grande y brillante.

Venus es blanco y suele
verse al amanecer cerca
del horizonte. Por eso se le
llama el "lucero del alba".

Estrellas fugaces

Las estrellas fugaces son rocas
espaciales, llamadas meteoritos, que
se queman al entrar en la atmósfera
terrestre y dejan una estela blanca.

Glosario

Aquí tienes una serie de palabras útiles que aparecen en el libro y tal vez no conozcas.

altocúmulo - nube alargada y esponjosa.

animal salvaje - animal que vive libre en la naturaleza y no es una mascotas ni vive en granjas.

arte terrestre - tipo de arte que solo usa materiales naturales.

balsa - embarcación plana hecha con ramas o maderas.

brasa - restos de leña o carbón encendidos, que se vuelven rojos porque están muy calientes.

brújula - instrumento que emplea un imán y una aguja para indicar el Norte.

cirro - nube blanca y fina.

cirrocúmulo - nube blanca pequeña y algodonada que se forma a gran altura.

cirrostrato - capa fina de nubes que cubre el cielo y difumina la luz del Sol.

conífera - tipo de árbol que protege sus semillas en conos o piñas.

constelación - silueta que forman las estrellas en el firmamento.

cúmulo - nube blanca, grande y algodonada que se forma a baja altura.

cumulonimbo - nube de tormenta alta y oscura que suele producir tormentas.

estela - línea blanca que dejan los aviones en el cielo.

estrato - capa horizontal y uniforme de nubes bajas.

estrella fugaz - meteorito o roca espacial que se quema al entrar en la atmósfera terrestre. Deja una estela de luz en el cielo.

firmamento - sinónimo de cielo.

hoja caduca - un árbol de hoja caduca es un árbol que pierde las hojas en invierno.

hoja perenne - un árbol de hoja perenne es un árbol que conserva las hojas todo el año.

iglú - refugio tradicional fabricado con ladrillos de nieve compactada.

lona - tela fuerte de algodón u otro material, que también puede ser impermeable.

Luna - esfera de roca de gran tamaño que gira alrededor de la Tierra.

luna llena - cuando la Luna entera brilla en el cielo por la noche.

madera de deriva - madera que el agua deja sobre la playa cuando baja la marea.

marea - movimiento del agua del mar, que sube y baja una o más veces al día.

meteorito - roca espacial.

morse - código en el que las letras del alfabeto se representan con series de puntos y rayas que se transmiten con luces o sonidos.

néctar - líquido dulce del interior de las flores que sirve de alimento a mariposas, abejas y otros insectos.

nocturno - dicho de un animal, que sale o se alimenta por la noche.

orientación - uso de señales e indicaciones de un mapa para encontrar un camino.

pluviómetro - instrumento sencillo que sirve para medir la cantidad de lluvia que cae.

polen - polvo que fabrican las flores.

polinización - proceso por el que las abejas, mariposas y otros insectos transportan polen de una flor a otra, lo que ayuda a que crezcan más plantas.

poza de marea - poza o charco de agua que se acumula entre las rocas de la costa cuando la marea sube o baja.

presa - barrera que se construye en un río o arroyo para detener el curso del agua.

punto cardinal - nombre que recibe cada uno de los cuatro sentidos principales para la orientación: Norte, Sur, Este y Oeste.

ruta - camino marcado para que lo sigan.

salabre - red manual para atrapar animales pequeños, como peces o insectos.

semáforo - código en el que las letras del alfabeto se representan con distintas posiciones y formas de colocar una pareja de banderas.

semilla - parte de la planta de la que puede nacer una planta nueva.

sonda - cuerda con un peso que sirve para medir la profundidad del agua.

trampa de huellas - bandeja con arena o barro que sirve para recoger las huellas de los animales que la pisan.

Índice

Redacción: Emily Bone   Material editorial adicional: Jerome Martin
Dirección de diseño: Zoe Wray   Dirección editorial: Jane Chisholm
Manipulación digital: John Russell